Passe-partouts
Zelf snijden

Passe-partouts

Zelf snijden

TOON GOVAARTS

Redactie: Cursor Consultancy, Amsterdam

Fotografie: Fotografie Robert Mulder, Zutphen

Illustraties: Rob Geerts, Enschede

Omslag: Studio Jan de Boer, Amsterdam

Binnenwerk: Paul Boyer, Amsterdam

ISBN 90 384 1294 0

NUGI 440

INHOUD

WOORD VOORAF

Vanaf het moment dat ik een potlood kon vasthouden, heb ik getekend. Door het tekenen kreeg ik steeds meer oog voor vorm en kleur. Het werd voor mij eenvoudiger om vormen en kleuren vast te leggen toen ik mijn eerste fototoestel kreeg. De plaatjes die ik tijdens vakanties geschoten had, wilde ik in eerste instantie gebruiken om later na te tekenen of na te schilderen. Door mijn studie en later door mijn drukke werkzaamheden kwamen de tekenspullen in de kast te liggen. Het aantal foto's bleef echter groeien. Om nu toch wat van deze plaatjes te kunnen blijven zien, besloot ik om ze in te lijsten en op te hangen. In eerste instantie gebruikte ik standaard wissellijsten zonder passe-partout. Maar door de invloed van temperatuur en luchtvochtigheid gingen de foto's in de lijst nogal achteruit. Tevens ontdekte ik dat de foto's na verloop van tijd aan het glas gingen kleven. Om deze problemen te voorkomen, plakte ik de foto's in zijn geheel op en lijstte die in met een passe-partout. De foto's en daarmee ook de lijsten werden groter en ik ging spelen met uitsnedes om perspectief, vorm en actie te versterken. Bovendien ontdekte ik dat door gebruik te maken van gekleurd passe-partoutkarton het aantal mogelijkheden nog meer toenam.

Een aantal jaren geleden ben ik in mijn bedrijf, een kantoorvakhandel, een lijstenmakerij begonnen. Ik ging dagelijks met kleuren en vormen werken. Nu, in 1998, is de lijstenmakerij flink gegroeid en erg belangrijk geworden voor mijn bedrijf. Ik lijst alles in: foto's, tekeningen, aquarellen, olie- en acrylschilderijen; maar ook drie-dimensionale objecten als kledingstukken, schelpen en zelfs flessen wijn. Bij elke opdracht probeer ik rekening te houden met het werk zelf, de persoon die het werk laat inlijsten, en de plaats waar het moet komen te hangen. Afhankelijk van deze factoren probeer ik zo'n inlijsting te maken, dat de klant later met plezier naar het werk blijft kijken.

Het is belangrijk om gebruik te maken van de kleuren in het werk en soms het contrast te zoeken. Passe-partouts kunnen de contrasten versterken en vormen benadrukken door speciale uitsnedes te maken, zoals een asymmetrische uitsnede of door een extra brede onderkant of zijkant te kiezen. Voorop staat dat het werk dankzij de lijst tot zijn recht kan komen in het interieur, en dat de aandacht niet van het werk wordt afgeleid door de inlijsting. Kortom, een werk met een lijst erom en niet een lijst met een werk erin.

Inmiddels geef ik workshops passe-partouts snijden en maak ik zelf objecten met diverse lagen passe-partoutkarton. Soms gebruik ik wel 15 lagen karton. Het zijn abstracte maar ook figuratieve objecten, waarmee ik over enige tijd hoop te exposeren. Het experimenteren met verschillende papier- en kartonsoorten en verschillende uitsnijdingen blijft een fascinerende aangelegenheid, die veel voldoening geeft.

WAAROM EEN PASSE-PARTOUT?

Als je een foto uit een lijst haalt en er heeft geen passe-partout omgezeten, dan zul je merken dat de foto aan het glas kleeft. Bij ingelijste tekeningen, zoals pastel- en houtskooltekeningen, zie je zelfs dat er een afdruk op het glas is ontstaan als die lang zonder passe-partout in een lijst hebben gezeten. Door met een passe-partout in te lijsten voorkom je dus dat het werk in contact komt met het glas. Een passe-partout is dus in de eerste plaats ter bescherming van het werk. Daarnaast kun je een werk ook meer laten spreken door een gekleurd passe-partout te gebruiken. Maar niet alleen kleur, ook de vorm van de uitsnede, de plaats van de uitsnede en het aantal passe-partouts zijn belangrijk om het werk in de lijst aan de muur beter uit te laten komen. De tweede functie van een passe-partout is dus verfraaiing.

CONSERVEREND INLIJSTEN

De beschermende werking van een passe-partout gaat verder dan alleen een buffer creëren tussen het werk en het glas. Door gebruik te maken van speciaal, zuurvrij karton voorkom je verkleuring en afbraak van het werk zoals bij gebruik van niet-zuurvrije materialen kan gebeuren. Zeker als het om oude werken als een handgekleurde landkaart of oude etsen gaat, is dit belangrijk. Dit heet dan ook conserverend inlijsten.

VERFRAAIEND INLIJSTEN

De verfraaiende functie van een passe-partout ten opzichte van het kunstwerk kan bestaan uit het werken met kleur. Om een kleur uit het kunstwerk sterker naar voren te laten komen, kun je dezelfde kleur als passe-partout kiezen. Als je het werk volledig in de inlijsting laat vallen, dan zullen werk, passe-partout en lijst een geheel gaan vormen. Meestal zijn dat werken waar meer dan één passe-partout omheen gesneden is. Hetzij in bepaalde vormen, hetzij in diverse in het werk voorkomende kleuren.

SOORTEN PASSE-PARTOUTS

E r zijn verschillende soorten passe-partouts die gesneden kunnen worden. Elk met een eigen karakter, elk met de bedoeling het in te lijsten beeld te versterken. Er zal hier een aantal van eenvoudig tot moeilijk de revue passeren.

HET STANDAARD PASSE-PARTOUT

In feite is er geen standaard voor het snijden van een passe-partout. Een ieder moet voor zichzelf bepalen wat hij of zij het mooiste vind. Wat in het algemeen als standaard wordt beschouwd, zijn passe-partouts uit een enkel vel karton; deze zijn ook vaak als kant-en-klaar passe-partout in de winkel te koop. Meestal zijn ze gesneden op standaard-lijstmaten als 24 × 30 cm, 28 × 35 cm, 30 × 40 cm en 40 × 50 cm en aangepast aan standaard foto- of papiermaten. Vaak zijn alle randen gelijk, zoals bijvoorbeeld voor een beeldmaat 30 × 40 cm en een lijstmaat van 40 × 50 cm, waarvoor het passe-partout aan alle zijden 5,5 cm breed is, zodat het beeld aan alle kanten net achter het passe-partout valt. Wat kleur betreft zijn deze standaard passe-partouts meestal wit of crème, omdat deze neutrale kleuren goed passen bij de meeste tekeningen, aquarellen of foto's.

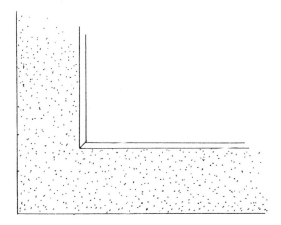

Tek. 1   Enkel passe-partout

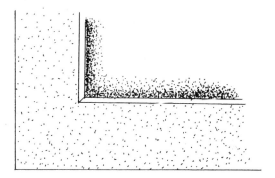

Tek. 2   Enkel passe-partout met diepte ingelijst

PASSE-PARTOUT MET BREDE ONDERRAND

De meeste afbeeldingen die ingelijst worden, hebben een perspectief, dat wil zeggen dat er diepte in zit. Afhankelijk van de plaats van het verdwijnpunt van het perspectief, is het mogelijk om de onderrand van het passe-partout breder te maken.

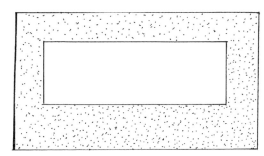

Tek. 3   Enkel passe-partout met brede onderrand

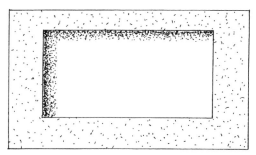

Tek. 4   Passe-partout met diepte

Hierdoor versterkt de inlijsting het perspectief. Laat je bijvoorbeeld voor een land-schap met een duidelijk perspectief alle randen van het passe-partout gelijk en je kijkt er lang naar, dan krijgt het beeld de neiging om voorover uit de lijst te vallen. Door nu de onderrand breder te maken, wordt dit voorkomen. Het beeld staat wat meer in de lijst en het geheel is rustiger en aangenamer voor het oog.

PASSE-PARTOUT MET EXTRA BREDE ONDERRAND

Het komt regelmatig voor dat op kunstwerken alleen maar het bovenste gedeel-te staat van de vaas met bloemen, of alleen maar het hoofd en schouders van een persoon of een boerderij zonder voorgrond. Al deze werken wekken de sug-gestie dat er veel meer is dan op het werk staat, dus de tafel waar de vaas op staat, het lichaam en het erf van de boerderij. Om nu de suggestie te versterken dat er werkelijk meer is, kun je een passe-partout snijden met een extra brede onderrand. Hou dan wel de zij- en de bovenrand gelijk. De onderrand moet zeker drie keer de breedte hebben van de andere randen. Als gevolg daarvan heb je een vierkante of een staande lijst nodig.

ASYMMETRISCH PASSE-PARTOUT

Door een passe-partout te snijden waarbij het gat niet precies in het midden zit, kun je de actie van een galopperend paard meer aandacht geven. De actie van het van links naar rechts galopperende paard kun je versterken door het links in de lijst te zetten. Zo lijkt het alsof het paard de ruimte heeft om naar rechts achter het passe-partout door te galopperen. Een wat statisch werk als een bloemenvaas op de hoek van de tafel of een schelpje dat op het strand ligt krijgt ook meer aandacht in asymmetrische passe-partouts. De vaas met bloemen kan links of rechts in het passe-partout staan om de indruk te geven dat de tafel verder door-loopt; de schelp onder in een hoek omdat je op het strand ook naar beneden moet kijken om de schelp te kunnen zien. Door een passe-partout met een asymme-trisch gat te snijden kun je een beeld versterken.

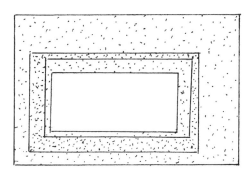

Tek. 5 Asymmetrisch passe-partout

KLEUR

Niet alleen met uitsnedes, maar ook met kleur kun je een beeld versterken. Om een afbeelding die licht van kleur is, kun je een donker passe-partout zetten; dan springt het beeld eruit. Andersom geldt dit ook: om een donkere afbeelding kun je de voorkeur geven aan een licht passe-partout. Probeer altijd wel te werken met een kleur die ook in het werk aanwezig is. Een extra accent krijgt een licht passe-partout als het gebruikte karton een gekleurde kern heeft. Bovendien krijgt het werk dan ook meer diepte. Moorman heeft een groot assortiment gebroken wit en gekleurd karton met een gekleurde kern in zachte en felle kleuren. Ook als je gebruik maakt van dit soort karton, zorg er dan voor dat de kleur van de kern aan-sluit bij de kleuren van het werk.

Meervoudig passe-partout

Passe-partouts met kleurranden

Enkelvoudige passe-partouts kunnen het beeld nog meer versterken als om het gat nog een belijning wordt aangebracht. Dit is vooral erg mooi bij het inlijsten van oude landkaarten. Wil je heel traditioneel te werk gaan, teken dan om het reeds gesneden gat eerst een dunne zwarte lijn op een halve centimeter van de rand, daarna een dikkere gouden lijn op een halve centimeter van de zwarte lijn en tot slot op dezelfde afstand weer een zwarte lijn. Zet de lijnen eerst uit op het passe-partout met behulp van een liniaal, dit moet heel nauwkeurig gebeuren. Bij grotere werken teken je de lijnen voor met een heel dun zacht potlood.

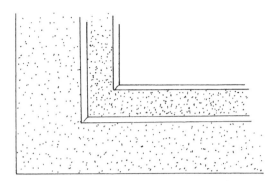

Tek. 6 Dubbel passe-partout

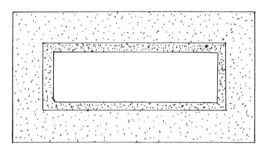

Tek. 7 Dubbel passe-partout

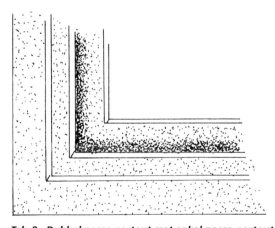

**Tek. 8 Dubbel passe-partout met enkel passe-partout
in diepte ingelijst**

Passe-partout met V-groef

Een zelfde effect als met getekende lijnen krijg je door een V-groef te snijden in het karton. Vooral bij karton met een gekleurde kern is dit erg mooi, de V-groef heeft dan exact dezelfde kleur als de snijrand; donker gekleurd karton met een witte kern levert een mooie witte V-groef.

Als je een passe-partout met een V-groef wilt maken, snijd dan eerst de V-groef en daarna pas het gat. Bepaal eerst waar het gat en de V-groef moeten komen in het karton. Meestal komt de V-groef op 1 cm van de uitsnede, maar meer of juist minder centimeters komt ook voor. Teken aan de voorzijde van het karton met potlood een kader dat aan alle zijden 1 centimeter groter is dan het gat moet worden. Teken de lijnen niet door van buitenrand naar buitenrand omdat je dan moet gaan gummen op de voorzijde en dat blijft altijd zichtbaar. Als de lijnen getekend zijn, positioneer de snijder dan zo langs de lijn dat deze lijn tegen de opening van de snijder aankomt. Snijd daarna precies van hoekpunt naar hoekpunt maar niet helemaal door het karton. Door het snijden wordt de snijrand iets opgedrukt. Zet vervolgens de snijder met de opening tegen de opgedrukte rand aan en snijd tegengesteld weer van hoekpunt naar hoekpunt. Zo snijd je een lijntje uit de voorzijde van het karton en ontstaat de V-groef. Tot slot snijd je op de normale manier het gat en is het passe-partout klaar.

Dubbele passe-partouts

Een andere manier om een werk meer diepte te geven, is door gebruik te maken van dubbele passe-partouts. Het binnenste passe-partout heeft vaak een andere, meestal donkerder kleur dan het buitenste passe-partout. Vooral bij aquarellen, tekeningen en drie-dimensionale werken gaat dit goed. Zo zorgt een combinatie van een donkere lijst, een licht en een donker passe-partout en het werk ervoor dat het beeld beter op het netvlies blijft hangen.

Om een dubbel passe-partout te snijden neem je twee stukken karton die exact even groot zijn. Bepaal eerst hoeveel centimeter van het binnenste passe-partout zichtbaar moet zijn, een halve, een hele of soms nog meer centimeters en teken dan beide gaten af. Snijd beide passe-partouts zo nauwkeurig mogelijk uit omdat elke afwijking in het eindresultaat zichtbaar is. Tot slot plak je beide passe-partouts met dubbelzijdig plakband op elkaar vast.

MEERVOUDIGE PASSE-PARTOUTS

Net zoals bij dubbele passe-partouts, kun je ook drie, vier of nog meer passe-partouts op elkaar leggen. Meestal werk je dan met door en door gekleurd karton als museumkarton, omdat dan geen witte snijranden zichtbaar zijn. Dit soort meervoudige passe-partouts gebruik je om op een rustige manier toch diepte te creëren en het in te lijsten werk extra te benadrukken, bijvoorbeeld een kleine ets.

Voor het snijden van een meervoudig passe-partout ga je net zo te werk als bij het snijden van een dubbel passe-partout. Het is hierbij extra belangrijk om heel nauwkeurig te tekenen en te snijden.

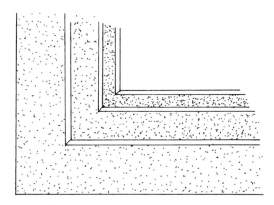

Tek. 9 Meervoudig passe-partout

PASSE-PARTOUTS MET MEER DAN EEN UITSNIJDING

Heb je een verzameling van verschillende kleinere objecten die je samen in een lijst wilt zetten, dan moet je in het passe-partout ook dezelfde hoeveelheid gaten snijden als er objecten zijn. Zo'n verzameling kan bijvoorbeeld bestaan uit fotootjes van één familie, een aantal aquarellen van bloemen of een verzameling postzegels of munten.

Voor zo'n passe-partout met meer uitsnijdingen is het heel belangrijk dat je een zo symmetrisch mogelijke verdeling maakt. Teken hiervoor op de achterkant van het karton een aantal lijnen die elkaar door het midden kruisen. Bepaal aan de hand daarvan de uit te snijden gaten en snijd die. Als dat goed gebeurt, krijg je net zo'n evenwichtige verdeling als bij het inlijstvoorbeeld van de postzegels op bladzijde 14 en 34.

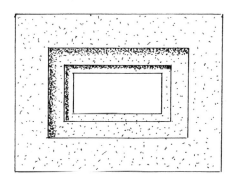

Tek. 10 Diepte met meer passe-partouts

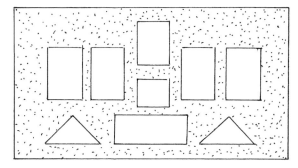

Tek. 11 Passe-partout met meer gaten

FRANSE PASSE-PARTOUTS

Een Frans passe-partout is in feite een dubbel passe-partout. Het tweede passe-partout is gemaakt uit een dik karton van bijvoorbeeld 5 mm schuimkarton, waardoor je de diepte kunt versterken. Je snijd het schuimkarton met de passe-partoutsnijder in stroken onder een hoek van 45°. Daarna omplak je het schuimkarton met goud of zilverpapier of een andere papiersoort waarmee je

Passe-partout met meer dan een uitsnijding

Frans passe-partout

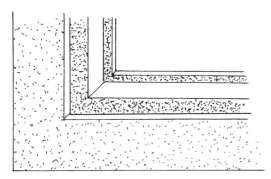

Tek. 12 *Frans passe-partout*

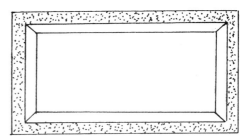

Tek. 13 *Frans passe-partout*

een kleur uit het werk versterkt. De opgeplakte stroken snijd je daarna in ver-stek, dat wil zeggen in een hoek van 45°, en pas je aan elkaar om het werk. Het eerste passe-partout dat bovenop komt te liggen en iets ruimer is dan de tweede laag, is in feite de afwerklaag. Van het tweede passe-partout zie je maar een klein randje, maar de combinatie versterkt zowel de diepte als de kleur.

JAPANSE PASSE-PARTOUTS

Ik noem een passe-partout een Japans passe-partout als ik Japans papier gebruik voor het passe-partout. Japans papier is in veel soorten en in diverse zeer subtiele kleuren verkrijgbaar, die niet voorkomen in de standaardcollectie ivoorkarton. Japans papier is dun, mooi gestructureerd en gemakkelijk te ver-werken. Alleen de maat is beperkend: 60 × 90 cm.

Voor zo'n passe-partout maak je eerst een neutraal stuk passe-partoutkarton zelf-klevend. Daarna plak je het Japanse papier erop en snijd je het benodigde gat erin.

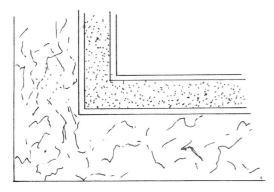

Tek. 14 *'Japans' passe-partout*

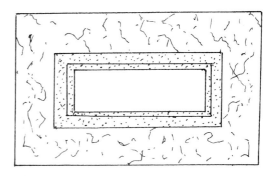

Tek. 15 *'Japans' passe-partout*

LEPORELLO'S

Een leporello is een soort album dat bestaat uit aan elkaar geschakelde losse delen, die als een harmonica opgevouwen worden. Leporello's zijn heel goed te maken van passe-partoutkarton en boekbinderslinnen. Leg bijvoorbeeld een serie los ingelijstte vakantiefoto's van hetzelfde formaat naast elkaar en verbind ze aan de zijkanten met elkaar door middel van boekbindlinnen en boekbinderslijm.

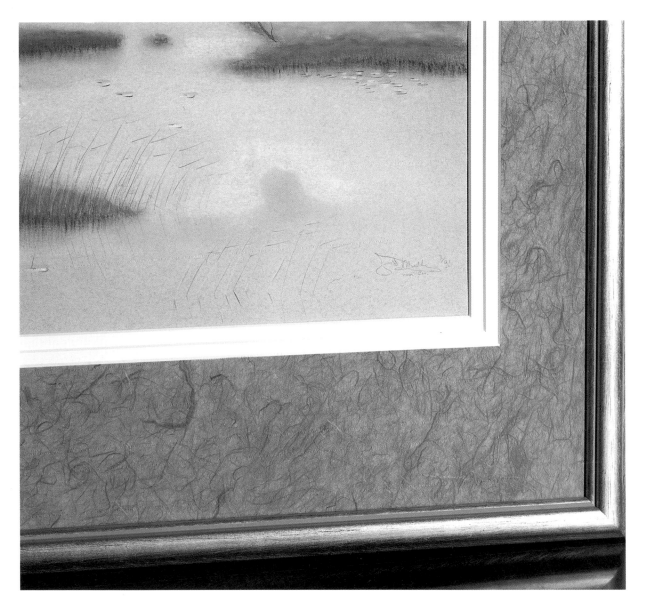

'Japans' passe-partout

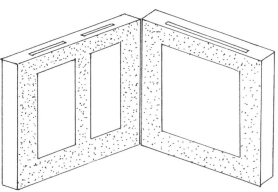

Tek. 16   Leporello

BENODIGDHEDEN

Voor het snijden van passe-partouts zijn uiteraard een aantal speciale materialen nodig. Voor een standaard passe-partout kan worden volstaan met de onderstaande:
- passe-partoutsnijder
- onderplaat
- passe-partoutkarton
- mesje
- liniaal
- potlood
- plakband
- dubbelzijdig klevend plakband
- houtlijm of boekbinderslijm

PASSE-PARTOUTSNIJDER
Er zijn verschillende merken passe-partoutsnijders te koop in hobbywinkels en tekenspeciaalzaken. De meest bekende zijn: Maped, Olfa, NT, Logan en Dexter. Ik heb met alle genoemde snijders gesneden. Uiteindelijk heb ik geko-

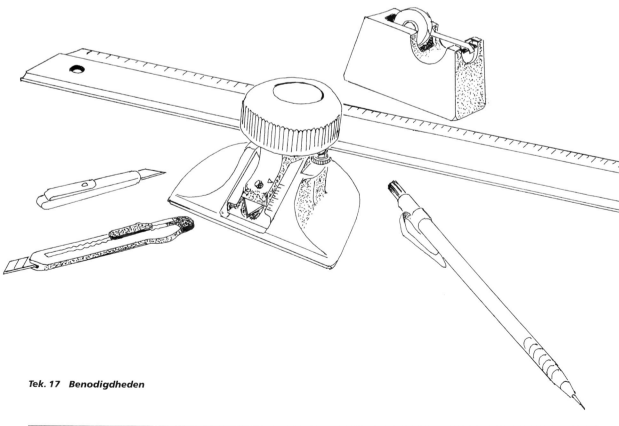

Tek. 17 Benodigdheden

zen voor de NT MAT 45P als de meest praktische en eenvoudigst te gebruiken snijder. Ook de cursisten in mijn workshops gebruiken deze snijder en alle werken die in dit boek afgebeeld staan, zijn ermee gesneden. Een aantal voordelen van de NT MAT 45P zijn: de mesdiepte is exact in te stellen (je kunt er verschillende diktes karton mee snijden), het getekende kader wordt direct uitgesneden, de snijder is links- en rechtshandig te gebruiken en een speciale liniaal is niet nodig.

ONDERPLAAT

Een onderplaat dient als ondergrond om het passe-partout op te snijden. Een stuk stevig grijskarton is voldoende. Een snijmat is niet aan te bevelen; omdat steeds onder een hoek van 45° wordt gesneden, gaat een (dure) snijmat erg snel kapot.

PASSE-PARTOUTKARTON

Passe-partoutkarton is in zeer veel soorten, kleuren en maten te koop bij lijstenmakers, tekenspeciaalzaken en hobbywinkels. Het goedkoopste karton is niet zuurvrij, dit karton verkleurt zelf en kan bovendien ook verkleuring van het werk veroorzaken; gebruik het daarom liever niet. Het is beter om zuurvrij karton te gebruiken.

Zuurvrij karton is in circa 500 verschillende variëteiten te koop, sommige soorten hebben een gekleurde kern waardoor een mooi gekleurd randje ontstaan bij het snijden. Ik gebruik meestal het karton van het merk Moorman. De prijs van dit karton bedraagt f 25,- tot f 30,- per plaat van 82 × 112 cm. Daarnaast is er nog zuurvrij karton met suède of linnen beplakt, met een metaalstruktuur of met ribbeltjes en golfjes verkrijgbaar. Dit karton is echter veel duurder, f 50,- tot f 70,- per plaat.

MES

Voor het op formaat snijden van passe-partoutkarton heb je een goed afbreekmes of een stanleymes en een liniaal nodig. Langs de liniaal snijd je het karton op de juiste buitenmaat. Het mes is ook te gebruiken om later hoekjes van passe-partouts los te snijden.

LINIAAL

De NT MAT 45P passe-partoutsnijder is te gebruiken met iedere liniaal. Het is echter wel verstandig om een aluminium snijliniaal met rubber aan de onderzijde te kopen. Dankzij het rubber verschuift de liniaal niet tijdens het snijden. Deze linialen zijn te koop vanaf f 25,- voor eentje van 60 cm lang.

POTLOOD

Voor het tekenen van het te snijden passe-partout is een gewoon HB potlood voldoende. Beter is een stifthouder met 0,5 mm stiften vanwege de constante lijndikte. Af te raden zijn fijnschrijvers en viltstiften.

PLAKBAND

Als het passe-partout gesneden is, is het raadzaam om het werk aan het passe-partout vast te plakken, dan kan het niet gaan verschuiven in de lijst. Zuurvrij plakband is het beste. Geschikt plakband wordt gemaakt door 3M (permanent klevend Magic tape 810 of niet permanent klevend Magic tape 811) en Neschen (filmoplast P of P90). Laatstgenoemde tapes zijn wel veel beter en duurder, de goedkopere 3M tapes voldoen ook.

DUBBELZIJDIG PLAKBAND

Voor het maken van dubbele passe-partouts is dubbelzijdig plakband nodig. Moratac vellen zijn hiervoor zeer geschikt. Moratac is een dubbelklevende film op formaat 70 × 100 cm. Je kunt er stroken van snijden, maar het ook gebruiken om foto's strak op te plakken en om Franse of Japanse passe-partouts te maken.

BOEKBINDERSLIJM

Houtlijm of boekbinderslijm gebruik ik voor het plakken van stroken Japans papier, bij het maken van Franse passe-partouts en bij het plakken van stroken boekbinderslinnen bij het maken van leporello's.

SNIJDEN VAN EEN PASSE⚡PARTOUT

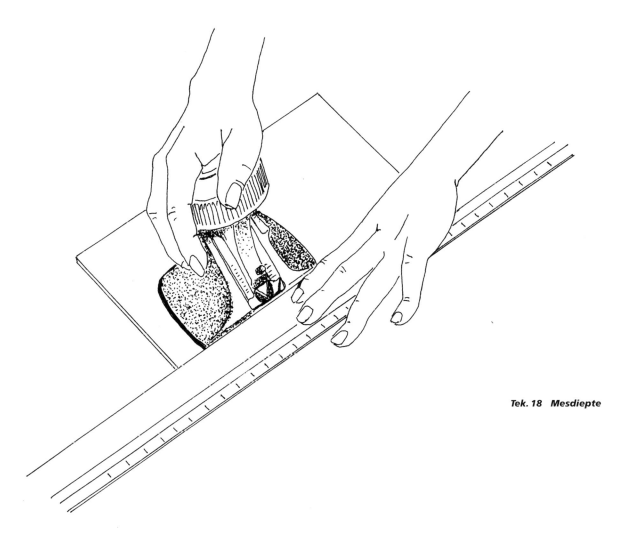

Voordat je een passe-partout gaat snijden, moet je eerst een aantal handelingen verrichten: de mesdiepte moet ingesteld worden, je moet het snijden oefenen en je moet de afmetingen van het passe-partout en de opening bepalen.

MESDIEPTE INSTELLEN

Bepaal de juiste mesdiepte door de snijder op de rand van het passe-partout-karton te plaatsen en druk met de grote knop bovenop de snijder het mes langs het karton in de onderplaat. Als er een minimale indruk in de onderplaat te zien is, is de mesdiepte goed. Is er geen indruk te zien, dan is hij te ondiep. Is er een brede indruk te zien, dan is hij te diep; in beide gevallen moet je de mesdiepte bijstellen. Dit doe je met de draaiknop aan de zijkant van de snijder. Zou je te ondiep snijden, dan kom je niet door het karton heen; snijd je te diep, dan snijd je de onderplaat stuk, waarschijnlijk snijd je scheef en moet je te veel kracht zetten.

Snij-oefening

Om te bepalen hoeveel druk je moet uitoefenen om in één keer strak langs de liniaal door het karton te snijden, doe je een eenvoudige snij-oefening. Je neemt een stuk passe-partoutkarton van dezelfde dikte en legt de liniaal op het karton. Je zet de snijder tegen de hoge onderkant van de liniaal, drukt het mes naar beneden en laat de snijder langs de liniaal glijden. Na het snijden kijk je of de snede goed gelukt is. Deze oefening herhaal je net zolang totdat je in één keer een goede rechte snede kunt maken. Nu kan je een passe-partout gaan snijden.

Passe-partout snijden

Om een passe-partout te snijden, neem je een stuk karton op maat. Op de achterzijde van het karton teken je het te snijden gat, alle lijnen trek je door van rand naar rand. Je plaatst de liniaal en de snijder zo op karton dat de hulpstreepjes 2a en 2b op de snijder gelijk lopen met de te snijden lijn. De liniaal ligt evenwijdig aan de potloodlijn en met de hoge onderzijde tegen de snijder. Je begint te snijden op het punt waar hulpstreepje 3 op de kruisende lijnen staat. Je snijdt de hoeken niet te ver door omdat dit zichtbaar is aan de voorkant. Heb je een kant gesneden dan herhaal je dit voor de overige zijden. Zit het binnenstuk van het passe-partout nog vast als alle zijden gesneden zijn, dan snijd je aan de voorkant met een los mesje de hoekjes los. Het binnenstuk valt er dan uit en het passe-partout is klaar.

Nu kun je een gewoon passe-partout, dat bestaat uit vier rechte lijnen, snijden. Je kunt ook elke andere, uit rechte lijnen bestaande vorm snijden. Driehoeken, vijfhoeken en zelfs een ster behoren tot de mogelijkheden. Zelfs zonder liniaal kun je uit de vrije hand vormen snijden als een vis, een vogel of een kerstboom. Echter, een perfecte cirkel of ovaal kun je niet met deze snijder snijden.

PLAKKEN

B ij het maken van passe-partouts kom je verschillende vormen van plakken tegen. Zo kun je met dubbelklevend plakband een dubbel of meervoudig passe-partout maken. Met zuurvrij plakband (Neschen P90 of 3M Magic tape) om werk achter het passe-partout te plakken. Ook het gebruik van aquarelplakband om werk te spannen wordt elders in dit boek uitgelegd in het hoofdstuk Inlijsttips op bladzijde 24.

DUBBELZIJDIG KLEEFFOLIE

Voor het plakken van Japans papier op passe-partoutkarton kun je het beste Moratac, een dubbelzijdig kleeffolie, gebruiken. Je plakt als volgt:
Neem een vel passe-partoutkarton op het formaat van het Japanse papier. Snijd ook het vel Moratac op hetzelfde formaat. Snij daarvan voorzichtig een strook van de schutlaag los, positioneer het stuk Moratac op het stuk passe-partoutkarton en plak het vast. Daarna trek je de rest van de schutlaag weg en wrijf je tegelijkertijd de kleeffolie vast op het karton. Nu is het passe-partoutkarton zelfklevend. Snijd wederom een strook van de schutlaag los en positioneer het Japanse papier. Door de schutlaag weg te trekken en het papier aan te wrijven, ontstaat een op kleur gemaakt vel passe-partoutkarton.
In feite kun je elke kleur ander papier gebruiken die je mooi vind om een passe-partout mee te maken.
In plaats van Moratac kun je ook spuitlijm of fotolijm nemen. Deze lijmsoorten zijn echter gemaakt op een rubberbasis waar oplosmiddelen in zitten die van invloed zijn op het papier. Op den duur zou dat behoorlijk kunnen vergelen.

BOEKBINDERSLIJM

Voor het maken van Franse passe-partouts of leporello's gebruik je boekbinderslijm. Deze witte lijm droogt transparant op. Bij een Frans passepartout smeer je een dunne laag boekbinderslijm uit op het te plakken papier. Daarna leg je het passe-partoutkarton op het ingesmeerde papier. Je wrijft het papier voorzichtig om de hoeken over de in verstek gesneden rand en op de voorkant. Laat het geheel goed drogen en je hebt de binnenrand van het Franse passe-partout.
Voor het plakken van de scharnierkanten van de leporello gebruik je eveneens boekbinderslijm. De werkwijze hiervan staat beschreven bij de inlijstvoorbeelden op bladzijde 29 en verder.

INLIJSTTIPS

Heel veel dingen kunnen worden ingelijst. Zelf zeg ik dat je bijna alles kunt inlijsten. Tot op heden heb ik eigenlijk nooit nee gezegd tegen een klant die iets wilde laten inlijsten. Ik heb van alles ingelijst; niet alleen 'normaal' werk als aquarellen, foto's, tekeningen en drie-dimensionale knipwerken, maar ook dingen als een doopjurk, babyschoentjes, kleerhangers glazen en zelfs flessen bier en jenever.

Toch moet er, voordat er werkelijk wordt ingelijst, goed worden nagedacht over hoe dat moet gebeuren. Niet alleen heb je te maken met verschillende soorten werk, maar ook met verschillende materialen waarvan het werk gemaakt is, verschillende diktes van het werk (glazen en flessen) en verschillende klanten. De ene klant wil graag een standaard aluminium wissellijst en de andere een houten, op maat gemaakte lijst. Je lijst het werk altijd zo in, dat het werk ook weer uit de lijst te halen is zonder het te beschadigen.

Elk werk dat moet worden ingelijst, brengt specifieke problemen met zich mee. Hieronder staan een aantal tips voor verschillende soorten in te lijsten werk.

FOTO'S EN POSTERS

Op zich zijn foto's en posters gemakkelijk in te lijsten. Een passe-partout wordt gesneden, de foto wordt er achter geplakt en het geheel gaat in een lijst. Waar meestal geen rekening mee wordt gehouden is het feit dat temperatuur en luchtvochtigheid in huis vaak schommelen. Vocht zorgt ervoor dat papier gaat uitzetten. Dit is de reden dat foto's en posters na verloop van tijd gaan bobbelen en golven in de lijst. Om dit te voorkomen is het aan te raden om de foto of poster in zijn geheel te plakken op een ondergrond. Hiervoor zijn verschillende mogelijkheden:

1. Een plaat glad karton ter grootte van de foto of poster wordt zelfklevend gemaakt met spuitlijm. De lijm moet goed uitwasemen voordat er geplakt kan worden en het is moeilijk om de foto of poster in een keer goed te positioneren.

2. Het werkt een stuk schoner als je een stuk karton zelfklevend maakt met Moratac. Snijd eerst het Moratac op maat van het karton. Snijd aan een kant een strookje van de schutlaag los. Positioneer het Moratac goed op het karton en plak het aan de rand vast. Sla het Moratac terug en trek de rest van het schutvel los. Tijdens het verwijderen van het schutvel wordt het vel vastgewreven op het karton. Nu is het karton zelfklevend en kan de foto of poster op praktisch dezelfde manier geplakt worden. Dus eerst een strookje van de schutlaag lossnijden en verwijderen. De foto of poster positioneren en vastplakken. De foto of poster terugslaan en en de rest van het schutvel lostrekken en tegelijkertijd de foto vastwrijven. Zo worden luchtbellen en stofdeeltjes onder de foto of poster tijdens het plakken vermeden.

3. Nog gemakkelijker is het om zelfklevend karton als easystick te gebruiken. De foto of poster kan dan direct op het karton worden geplakt.

Is de foto of poster eenmaal geplakt op het karton, dan kan hij achter het passe-partout vastgeplakt worden met een stukje dubbelzijdig zuurvrij tape. Op deze manier blijft een foto of poster onder de meest extreme schommelingen van luchtvochtigheid strak zitten en gaat niet bobbelen.

Aquarellen en etsen
Voor een aquarel of ets geldt hetzelfde als voor een foto of poster. In feite zijn deze door het gebruik van speciale soorten papier nog gevoeliger voor vocht. In zijn geheel plakken van aquarellen en etsen is echter af te raden, ze kunnen nooit meer losgehaald worden van de achterplaat. Voor foto's en posters geldt hetzelfde, maar een foto kan opnieuw afgedrukt worden en aquarellen zijn vaak eenmalige, unieke exemplaren. Er zijn andere methodes om een aquarel goed en blijvend strak in een lijst te krijgen.

Spannen op een stevig stuk zuurvrij karton
Hierbij gebeurt in feite hetzelfde als bij het spannen van een stuk aquarelpapier op een plank voordat er geschilderd wordt. De achterzijde van de aquarel of ets wordt licht vochtig gemaakt. Hierdoor zet het papier uit en gaat het enigzins krullen en bobbelen. Het werk wordt met de achterkant op het stuk zuurvrije karton gelegd en rondom vastgeplakt met aquareltape. Dit is een papieren plakband dat eerst natgemaakt moet worden om het te laten plakken. Dan gaat het passepartout ervoor en gaat het geheel in de lijst. De aquarel of ets droogt weer op in de lijst en trekt zichzelf strak. Op deze manier zijn etsen en aquarellen altijd weer uit de lijst te halen zonder ze te beschadigen. Het is wel belangrijk om zuurvrij karton te gebruiken omdat gewoon karton door het vocht zelf verkleurt en de aquarel of ets kan doen verkleuren.

Spannen achter het passe-partout
Is er weinig ruimte in de lijst, dan kan een aquarel of ets ook direct op het passepartout gespannen worden. Zet het werk eerst met een klein stukje plakband vast aan het passe-partout en teken met potlood af waar het werk op het passepartout moet komen. Maak de aquarel of ets licht vochtig aan de achterkant waardoor het werk iets uitzet. Leg het werk op de afgetekende plek op het passepartout en plak het rondom vast met aquarelplakband. Leg er nog een vel zuurvrij papier achter en plaats het geheel in de lijst. Door het drogen in de lijst trekt de aquarel of ets zichzelf strak achter het passe-partout.

Pletten
De aquarel of ets wordt weer iets vochtig gemaakt aan de achterkant en tussen twee zuurvrije stukken karton gelegd. Het geheel wordt op een vlakke ondergrond gelegd, er gaat nog een vlakke plaat overheen en het geheel wordt verzwaard met gewichten. Het vocht kan er alleen aan de zijkant uit en door de druk wordt het werk plat. Haal het pakket na een dag uit elkaar; is de aquarel mooi vlak en droog, dan moet die zo snel mogelijk in een lijst om te voorkomen dat die opnieuw gaat bobbelen. Is het werk nog niet droog of vlak genoeg

dan moet de behandeling herhaald worden. Deze pletmethode is gebruikelijk voor grote werken (groter dan ca 60 × 80cm). Bij grote werken bestaat het risico dat als je een spanmethode zou gebruiken de spanning tijdens het drogen te groot zou kunnen worden; in het ergste geval scheurt het werk zichzelf kapot.

Pasteltekeningen

Pasteltekeningen hebben de nare eigenschap dat ze altijd afgeven. Dit komt omdat pastels in feite gemaakt zijn van losse korreltjes pigment die nooit volledig gefixeerd kunnen worden. Als een pastel direct achter een passe-partout wordt geplakt, dan is er altijd het risico dat korreltjes pastelkrijt op de passe-partoutrand vallen. Om dit te voorkomen is het verstandig om een dubbel passe-partout te nemen waarbij de randen van het voorste passe-partout breder zijn dan die van het achterste passe-partout. Als nu de pastel achter het passe-partout zit, vallen de korreltjes achter het voorste passe-partout op het onzichtbare achterste passe-partout. Het voorste, zichtbare passe-partout blijft dus mooi schoon. Bovendien geeft de schaduwrand die ontstaat tussen het voorste passe-partout en de pastel een stukje extra diepte aan de tekening.

Driedimensionale objecten en verdiept inlijsten

Steeds vaker worden drie-dimensionale knip- en plakwerken van bijvoorbeeld Anton Pieck of Marjolein Bastin ingelijst. Ook objecten als schelpen, babykleertjes of flessen worden ingelijst. Vaak is de lijst die gekozen is, niet diep genoeg. Aluminiumlijsten kunnen niet verdiept worden, houten lijsten wel. De makkelijkste manier om een houten lijst te verdiepen is door er latjes achter te zetten en deze, indien nodig, te verven in de kleur van de lijst. Wat de passe-partouts betreft, is het mooist om een dubbel passe-partout tegen het glas te zetten. Het glas en de passe-partouts kunnen op twee manieren vast worden gezet in de lijst.

Met kleine spijkertjes

Door kleine spijkertjes strak achter het passe-partout in de lijst te slaan worden het glas en de passe-partouts tegen de sponning gedrukt en kunnen niet verschuiven of gaan rammelen.

Met stroken schuimkarton

Door de ruimte tussen enerzijds het glas en de passe-partouts en anderzijds de achterplaat van de lijst op te vullen met op maat gesneden stukken schuimkarton van 5 of 10 mm dik, worden het glas en de passe-partouts tegen de sponning gedrukt. Het is aan te bevelen om de stroken schuimkarton met kleine stukjes dubbelzijdig plakband vast te zetten in de lijst.

Wil je een object nog mooier laten uitkomen in een verdiepte lijst, zet dan nog een derde passe-partout op de achterplaat vast; dit passe-partout past precies in de lijst en de achterplaat is natuurlijk iets groter (0,5 tot 1 cm). Het object plak je ook op de onderplaat vast. Daarna zet je de onderplaat met het object en passe-partout vast op de achterkant van de lijst. Een precies werkje met een mooi resultaat.

DIVERSE LIJSTEN EN GLAS

Er zijn enorm veel soorten lijsten te koop in standaardformaten bij warenhuizen, teken-en schilderzaken, postershops en lijstenmakerijen. De keuze van de lijst bij het werk is heel persoonlijk, afhankelijk van de kleuren in het werk en de plek waar het werk komt te hangen. Standaard houten of aluminium wissellijsten passen bij bijna elk werk. Maar zet nooit een olieverfschilderij in een aluminium lijst. Behalve dat olieverf en aluminium niet de mooiste combinatie opleveren qua materialen is er ook een andere reden voor: een aluminium lijst kan een op een spieraam gespannen olieverf- of acrylschilderij ernstig beschadigen, omdat de aluminium rand bij het aandrukken van de lijst in het doek drukt. Deze ingedrukte rand is nooit meer te herstellen.

KUNSTSTOFLIJSTEN
Kunststoflijsten zijn instabiel en hebben vaak niet de ruimte voor een enkel passe-partout, laat staan een dubbel passe-partout.

STANDAARD ALUMINIUM LIJSTEN
Standaard aluminium wissellijsten (backloaders) zijn stabiel tot een formaat van 60 × 80 cm. Voor grotere lijsten is het verstandig te kiezen voor op maat gemaakte lijsten. Nielsen maakt wissellijsten die bestaan uit stevige losse poten die met een hoekplaatjes in elkaar geschroefd worden en die wel stabiel zijn. Zowel de standaard lijsten als de maaklijsten hebben voldoende ruimte voor passe-partouts.

STANDAARD HOUTEN WISSELLIJSTEN
Standaard houten wissellijsten hebben hetzelfde probleem: hoe groter het formaat, hoe instabieler ze zijn.

ACHTER GLAS
Alle werken die snel kunnen beschadigen kun je het beste met passe-partout (om contact met het glas te voorkomen) achter glas zetten. Denk hierbij aan tekeningen, pastels, aquarellen of foto's. Ook werk dat snel vuil wordt en moeilijk schoon te maken is, zet je achter glas. Zoals bijvoorbeeld borduurwerk en 3D-objecten. Olieverf- en acrylschilderijen hoeven vanwege hun reliëf en de sterkte van de gebruikte materialen niet achter glas. Bij dit soort werk gebruik je ook geen passe-partouts.

SOORTEN GLAS
In principe kun je altijd kiezen voor 2 mm dik vensterglas. Dit houdt het werk helder en de kleuren vervagen niet. Ontspiegeld glas neemt de eventueel hinderlijke reflectie van tegenoverliggende ramen weg, maar neemt tegelijkertijd ook een stuk van de kleur en de helderheid weg.

Schelpentekening

Naast deze twee bekende soorten glas zijn er ook nog enkele soorten museumglas. Dit glas is voorzien van een speciale coating, waardoor spiegeling en uv-straling weggenomen worden.

Vensterglas van 2 mm kost ongeveer f 35,- per m^2, gewoon ontspiegeld glas ongeveer f 70,- per m^2 en museumglas kan tussen f 250,- en f 700,- per m^2 kosten.

Tips

Kies een lijst niet te klein, een passe-partout met een rand van 1 of 2 cm breed draagt bijna niets bij aan een fraaie inlijsting.

Sommige werken hebben geen standaard-afmeting. Nu is er met een passe-partout veel op te lossen. Soms is dit echter geen goede oplossing omdat dan de verhoudingen niet meer goed zijn. Een passe-partout met hele brede zijranden en smalle boven- en onderrand kan geen fraai beeld geven. In dit soort gevallen is het beter om voor een maaklijst te kiezen. De meeste houten maaklijsten zijn ook te leveren met wisselveren, zodat er toch redelijk eenvoudig gewisseld kan worden.

VERSCHILLENDE INLIJSTINGEN

SCHELPENTEKENING

Deze tekening kreeg ik van een goede kennis. Omdat ik iets met schelpen heb, besloot ik om de tekening in te lijsten.

Werkwijze

Ik ben uitgegaan van een standaard houten wissellijst met een formaat 40 × 50 cm. De werkelijke afbeelding van de schelpen is 16 × 18 cm en liggend. Ik wilde nog wat van het papier om de tekening laten zien en daarom bepaalde ik de uitsnede op 22 × 34 cm. Vanwege de lijstmaat en het feit dat ik de tekening symmetrisch in de lijst wilde plaatsen, moeten de zijranden en de bovenrand van het passe-partout 8 cm worden. De onderrand moet dan 10 cm worden. De onderrand is daarmee breder dan de andere randen. Optisch is dit juist beter omdat dan het perspectief van de tekening versterkt wordt. Omdat de tekening en het hout van de lijst licht van kleur zijn en ik de tekening goed wilde laten uitkomen, koos ik voor een donkerbruin passe-partout met zwarte kern.

Nadat ik het passe-partout had gesneden, plakte ik de tekening met tape aan het passe-partout vast. Ik poetste de glasplaat, plaatste alles in de lijst, werkte het netjes af en de tekening was klaar om op te hangen.

POSTZEGELS

Mijn vrouw heeft al sinds haar jeugd een passie voor paarden. Naast het rij-
den heeft ze jarenlang van alles verzameld dat met paarden te maken
heeft. Zo bezit ze een aantal albums met uitsluitend paardenpostzegels. Als ver-
rassing besloot ik een mooie serie voor haar in te lijsten.

WERKWIJZE

Ik koos voor een brede goudkleurige houten lijst en voor een donkerrood suède
karton waardoor het geheel een rijke uitstraling krijgt. De postzegels werden
vrijstaand ingelijst, dat wil zeggen, het passe-partout valt niet over de rand van
de postzegels en daarom blijven de karakteristieke kartelrandjes zichtbaar.
Eerst maakte ik een compositie van de zegels die binnen de lijstmaat paste.
Hierbij lette ik op een rustige symmetrische verdeling. De gekozen compositie
tekende ik in spiegelbeeld uit op de achterkant van het passe-partoutkarton.
Daarna sneed ik alle gaten. Ik plakte het klare passe-partout op een stuk zwart
passe-partoutkarton van hetzelfde formaat met dubbelzijdig plakband. Tot slot
plakte ik de postzegels vrijstaand in de daarvoor bestemde gaten met een klein
beetje niet-permanent klevende lijm. Ik poetste de glasplaat en het geheel kon
in de lijst en aan de muur.
Nu kan mijn vrouw elke dag genieten van een klein stukje van haar postzegel-
verzameling.

LINOSNEDE

Op de middelbare school heb ik ooit een linosnede moeten maken. Mijn tekenleraar vond de linosnede en de uiteindelijke afdruk zo goed, dat ze in de hal van de school geëxposeerd zijn. Jaren later vond ik de linosnede en afdruk terug en heb ze in één lijst gezet.

WERKWIJZE

Om zowel de linosnede als de afdruk goed uit te laten komen, koos ik voor een grijs passe-parout met daaronder een wit passe-partout. Vanwege de dikte van de linosnede moest ik drie lagen passe-partoutkarton gebruiken om te voorkomen dat de snede tegen het glas aan kwam. Eerst maakte ik het grijze passe-partout. Op de achterkant tekende ik het in spiegelbeeld uit. Daarna tekende ik de onderliggende passe-partouts uit. De onderliggende passe-partouts maakte ik elke keer 1 cm kleiner, dat wil zeggen, de rand werd een 0,5 cm breder. Daarna ging ik snijden. Ik plakte de passe-partouts op elkaar met dubbelzijdig plakband. De afdruk plakte ik achter het passe-partout terwijl de snede zelf vrij kwam te liggen. Ik poetste de glasplaat en het geheel ging in de lijst en aan de muur.

Linosnede

<< *Postzegels*

LEGENDE VAN
SINT NICOLAAS

Een tijdje geleden kwam er een klant in mijn lijstenmakerij met een oud sinterklaasliedjesboek. De man had het in zijn jeugd gekregen en was er zeer aan gehecht, met name aan het lied "de legende van Sint Nicolaas". Op deze pagina's opengeslagen wilde hij het ingelijst hebben.

WERKWIJZE

Omdat de pagina's enigzins vergeeld en de letters zwart zijn, koos ik een strakke zwarte en voldoende diepe lijst. Als passe-partout koos ik een warm grijze kleur met witte kern. Het boek zelf kwam op een zwarte plaat passe-partoutkarton. Het passe-partout is 5 cm breed aan alle zijden en laat 1 cm rand vrij tussen boek en passe-partout. Omdat het boek zelf verdiept werd ingelijst, lijkt dit veel meer. Toen ik het passe-partout gesneden had, ging dit samen met het gepoetste glas in de lijst en zette ik dit geheel met kleine spijkertjes klem in de lijst. De andere pagina's van het boek werden met kleine stukjes dubbelzijdig tape aan elkaar vastgezet, zodat ze straks niet kunnen terugvallen. Het boek plakte ik met dubbelzijdig plakband vast op de plaat zwart karton, deze plaat is groter dan de glasmaat van de lijst. Daarom kon ik de plaat met boek en al op de achterkant van de lijst vastzetten. Ik bevestigde een ophangdraad en mijn klant heeft nu een blijvend herinnering aan zijn jeugd aan de muur.

SCHELPEN

Een vriendin heeft eens een aquarel van een schelp gemaakt en deze door mij laten inlijsten. Toen wij er laatst op bezoek gingen, herinnerde ik mij deze aquarel en besloot om als kadootje een soortgelijke schelp in te lijsten. Nu is een wulk een vrij dikke schelp, dus de lijst moest voldoende diep gemaakt worden.

WERKWIJZE

Voor de lijst koos ik eenvoudig blank onbehandeld hout om een zo natuurljk mogelijk effect te verkrijgen. De lijst werd aan de achterkant verdiept door er latjes tegen te lijmen. Ik koos voor een dubbel passe-partout. Aangezien de schelp grijzig van kleur is, koos ik voor een roomwit met daaronder een grijs passe-partout. De roomwitte passe-partout heeft een rand van 3 cm aan alle zijden en het grijze heeft een 3,5 cm brede rand. De beide passe-partouts plakte ik met een dubbelzijdig plakband op elkaar. Deze werden samen met het gepoetste glas in de lijst klemgezet met kleine spijkertjes. De schelp zelf plakte ik met een sterk klevende lijm vast op een stukje roomwit karton dat groter is dan de glasmaat van de lijst. Om de diepte nog iets meer te versterken, sneed ik eerst nog een roomwit passe-partout met 3,5 cm rand, dat ik met dubbelzijdig plakband op de achterplaat vastplakte.

Daarna plakte ik de achterplaat met schelp en al vast op de achterkant van de lijst en werkte hem netjes af. De vriendin was blij verrast met het model van haar aquarel.

Legende van Sint Nicolaas

Schelpen

KLEINE ETS

E en kleine ets van 4 × 4 cm valt bijna niet op als hij moet worden ingelijst in een klein lijstje met een klein passe-partoutje. Om de aandacht wat meer te vestigen op de ets, koos ik voor een mooie brede lijst en een meervoudig passe-partout.

WERKWIJZE

Ik koos wel voor een rustige kleur, in dit geval ivoorkleurig museumkarton. Dit karton is door en door gekleurd zodat de snijranden dezelfde kleur hebben als de bovenkant van het passe-partout. De afzonderlijke passe-partouts verspringen iedere keer 0,5 cm, dat wil zeggen de onderste heeft een rand van 4 cm breed, de middelste een rand van 3,5 cm breed en de bovenste een rand van 3 cm breed. Hierdoor is er meer diepte gecreëerd. De passe-partouts plakte ik met dubbelzijdig plakband op elkaar. De ets plakte ik met zuurvrij plakband achter de passe-partouts. Tot slot dekte ik de ets aan de achterkant af met een stukje zuurvrij papier, zodat de ets beschermd is ingelijst. Het geheel ging met een gepoetste glasplaat in de lijst en ik werkte het netjes af.

Het geheel trekt nu door de combinatie van lijst, passe-partouts en diepte meer de aandacht en de ets komt nu betere tot zijn recht.

NB. Ga bij het snijden van dubbele en meervoudige passe-partouts uit van karton dat exact even groot gesneden is. Teken precies uit, controleer randen en het gat en snijd zo goed mogelijk over de getekende lijnen.

PASTELTEKENING

Een pasteltekening geeft meestal af en moet daarom altijd met een passe-partout worden ingelijst. Gebeurt dit niet, dan blijft er een deel van de tekening op het glas achter als hij uit de lijst wordt gehaald.

WERKWIJZE

In deze pasteltekening van een landschap met water zitten mooie bruine tinten, terwijl er langs de wolkenrand een haast zilverwitte rand zit. Om deze kleuren naar voren te halen, koos ik voor een warm zilveren houten lijst. Ik koos voor een bijzonder passe-partout, een ivoorkleurig museumkarton dat ik beplakte met bruin Japans papier. De kleur en structuur van het Japanse papier sluiten mooi aan bij de kleuren en de structuur van de pastel. Om het bruine passe-partout niet in het bruin van de tekening over te laten lopen, sneed ik nog twee extra passe-partouts van onbeplakt ivoorkleurig museumkarton waardoor er nog een extra contrasterende lichte rand om de tekening kwam. De onderrand van de passe-partouts liet ik duidelijker breder om het perspectief in de tekening te versterken. Voor het maken van dit bijzondere passe-partout had ik Japans papier, een vel Moratac en een plaat ivoorkleurig museumkarton nodig; Moratac is een dubbelklevende film op vellen van 70 × 100 cm. Ik sneed eerst het karton en de Moratac op maat. Daarna sneed ik een kleine strook van 2 cm van de onderste schutlaag van de Moratac los en positioneerde het vel met de lijmlaag naar onderen op het karton. Vervolgens trok ik het onderste schutvel rustig los, terwijl ik tegelijkertijd de kleeffilm vastwreef op het karton. Zo maakte ik het karton zelfklevend. Nu sneed ik weer een strookje van 2 cm van de bovenste schutlaag weg en positioneerde het Japanse papier op het karton. Daarna trok ik de schutlaag verder weg en wreef tegelijkertijd het Japanse papier aan. Nu had ik op kleur gemaakt passe-partoutkarton en kon ik het gat gaan snijden. Ik sneed ook de gaten in de andere passe-partouts en plakte ze op elkaar met dubbelzijdig plakband. Ik plakte de pasteltekening erachter, het geheel ging met een gepoetste glasplaat in de lijst en ik werkte alles netjes af.
Het resultaat is een mooie, opvallende inlijsting waarbij het door de contrastrand lijkt alsof je door een raam het landschap in kijkt.

Kleine ets

Pasteltekening >>

CARNAVAL IN VENETIË

En goede klant van mij kwam in de lijstenmakerij met een heel apart schilderij dat ze ingelijst wilde hebben. Gezien de materialen die zij gebruikt heeft, dacht ik meteen aan een zilveren lijst om het zilver in het werk terug te halen. Vanwege de mantels van de personages koos ik voor een suède passe-partout.

WERKWIJZE

Ik wilde hier voor de extra diepte een Frans passe-partout gaan gebruiken. Een Frans passe-partout is een extra dik (ca. 5 mm) passe-partout, waarvan alleen de schuine randen zichtbaar zijn. Meestal zijn deze goud- of zilverkleurig. Ik wilde zelf een Frans passe-partout gaan maken. Ik nam 5 mm dik schuimkarton en sneed met de passe-partoutsnijder daar stroken van. Nu had ik een 45° schuine rand gekregen. Ik nam een stuk zilverpapier en smeerde dat aan de achterkant in met boekbinderslijm, houtlijm is ook goed. Daarna legde ik de strook schuimkarton erop en vouw voorzichtig het zilverpapier om de schuine rand en plakte de andere kant vast. Na het drogen sneed ik de stroken in verstek op maat en zette ze in de hoeken vast met een stukje plakband. Klaar is mijn Franse passe-partout. Vervolgens sneed ik het suède passe-partout en plakte dit met dubbelzijdig plakband op het Franse vast. Het schilderij plakte ik achter de passe-partouts. Ik poetste de glasplaat en het geheel ging in de lijst.

LEPORELLO

Een tijdje geleden kreeg ik een heel oud foto-album in handen. Het was een soort harmonica waar de foto's in geschoven konden worden. Men vertelde mij dat het album bijna honderd jaar oud was en dat het een leporello heette. Later bedacht ik mij dat zo'n leporello ook eenvoudig te maken zou zijn uit passe-partoutkarton. Na wat denkwerk en experimenteren heb ik er uiteindelijk drie voor mezelf gemaakt: een vierluik met kinderfoto's, een achtluik met het panorama van Schiermonnikoog en een achtluik met foto's van een reis naar Rome.

WERKWIJZE

Om een leporello te maken, ga ik altijd uit van een even aantal foto's. Als de maat van de foto's bekend is, kan ik het formaat van de leporello gaan bepalen. Ik sneed het karton op maat en maakte net zoveel passe-partouts als er foto's zijn. De achterkant sneed ik uit hetzelfde karton in dezelfde maat als de passe-partouts. De voor- en achterzijde van de leporello maakte ik uit suède passe-partoutkarton, soms sneed ik in de voorzijde een klein venster om er een tekst in te kunnen zetten. Toen al het karton en de passe-partouts gesneden waren, kon ik de leporello in elkaar gaan zetten.

Ik plakte een achterkant en een passe-partout op elkaar vast met strookjes dubbelklevend gemaakt dun karton of dik papier. Ik plakte alleen de zijkanten en de onderkant vast, zodat de foto van boven achter het passe-partout geschoven kan worden. Op deze manier maakte ik alle pagina's klaar. Toen alle pagina's klaar waren, plakte ik ze aan elkaar vast met stroken boekbinderslinnen. Ik plakte deze zo, dat het boekje later als een harmonica dichtgevouwen kan worden. Ik legde twee pagina's met de passe-partoutzijden tegen elkaar. Ik smeerde een strookje van 2 cm breed boekbinderslinnen in met boekbinderslijm en plakte dit over de rugzijde. Daarna vouwde ik het open en plakte aan de binnenkant nog een smaller strookje. Toen de setjes van twee pagina's klaar waren, verbond ik ze op dezelfde manier met elkaar. Tot slot plakte ik op de eerste pagina een voorkant van suède passepatoutkarton en op de laatste pagina een achterkant van suède pasepartoutkarton. Ik zette er nog een slotje op of een splitpen, zodat de leporello te sluiten was.

Op deze manier maakte ik een mooi foto-album dat uitgevouwen leuk staat op een schoorsteenmantel of een dressoir.

Carnaval in Venetië

Leporello's

MET DANK AAN

In de eerste plaats dank aan Cees Mudde die bij het zien van mijn inlijstwerk en mijn passe-partoutkunst mij heeft aangezet dit boek te gaan schrijven.

In de tweede plaats aan Katarina die door haar meedenken en haar geduld mij de gelegenheid heeft gegeven mijn avonden en weekeinden met mijn passe-partouts bezig te zijn. En voor haar werk achter de computer waardoor de tekst zijn uiteindelijke vorm heeft gekregen.

Verder dank ik Suzan en Henk van der Kolk die hun huis een dag lang ten behoeve van de fotografie in een chaos hebben zien veranderen.

Ik dank Renee Achterberg en alle anderen die met hun vertrouwen in mijn manier van inlijstingen mij steeds weer hebben gestimuleerd om er steeds iets bijzonders van te maken en telkens een stapje verder te gaan.

Ik dank Moorman karton voor het ter beschikking stellen van aparte soorten passe-partoutkarton uit hun collectie waardoor ik mij verder kon ontplooien.

Tot slot dank ik Stella Ruhe voor haar geduld en vooral vakkundig redaktiewerk, Robert Mulder voor zijn uitstekende fotografie en Rob Geerts voor zijn prima illustratiewerk.

Toon Govaarts